Fairy Chronicles

Caléndula
y la Pluma
de la Esperanza

J. H. Sweet

Ilustrado por Tara Larsen Chang

Traducción de Teresa Blanch

pirueta

Título original: *Marigold and the Feather of Hope*

Primera edición: marzo de 2008
Segunda edición: abril de 2008
Tercera edición: octubre de 2008
Cuarta edición: noviembre de 2008

© 2007, J. H. Sweet
© 2007 Sourcebooks, Inc., del diseño de cubierta e interiores
© 2007 Corbis Images, John y Linda LoCascio, de las fotografías interiores.

© 2008 Teresa Blanch, de la traducción

© 2008 Libros del Atril, S.L., de esta edición
Avda. Marquès de l'Argentera, 17, pral. 3ª
08003 Barcelona
www.piruetaeditorial.com
www.fairychronicles.es

Impreso por Egedsa
Rois de Corella, 12-16, nave 1
08205 Sabadell (Barcelona)

ISBN: 978-84-96939-27-1
Depósito legal: B. 49.398-2008

Para Ed,
por todo

CONOCE EL

Caléndula

Libélula

NOMBRE:
Beth Parish

NOMBRE DE HADA Y ESPÍRITU:
Caléndula

VARITA:
Rama de sauce

DON:
Protege de insectos asquerosos

TUTORA:
Tía Evelyn,
Madame Monarca

NOMBRE:
Jennifer Sommerset

NOMBRE DE HADA Y ESPÍRITU:
Libélula

VARITA:
Pluma de pavo real

DON:
Veloz y ágil

TUTORA:
Abuela,
Madame Crisantemo

EQUIPO DE HADAS

Cardencha

NOMBRE:
Grace Matthews

NOMBRE DE HADA Y ESPÍRITU:
Cardencha

VARITA:
Púa de puerco espín

DON:
Fiera y salvaje cuando
defiende a los demás

TUTORA:
Madame Petirrojo

Luciérnaga

NOMBRE:
Lenox Hart

NOMBRE DE HADA Y ESPÍRITU:
Luciérnaga

VARITA:
Pajita

DON:
Una gran luz interior

TUTORA:
Señora Pelter,
Madame Escarabajo

Llevas la fuerza dentro de ti

Fairy Chronicles

Caléndula y la Pluma de la Esperanza

Libélula y la Telaraña de los Sueños

Cardencha y la Concha de la Risa

Luciérnaga y la búsqueda de la Ardilla Negra

Sumario

Capítulo uno

Tía Evelyn

eth Parish permaneció sentada en el sofá de la sala de estar mirando ensimismada por la ventana que daba a la carretera. Mientras esperaba la llegada de su tía, pensaba en las cosas que no podría hacer. Al igual que cualquier otra niña de nueve años, a Beth le apetecía leer, mirar la televisión, jugar con la consola, dibujar, trepar por los árboles del patio trasero o elaborar joyas con abalorios. Pensaba en todo esto, mientras permanecía sentada, horrorizada ante la idea de pasar un par de semanas con tía Evelyn.

Tenía la maleta preparada junto a la puer-

ta, aunque no le habían dejado empaquetar todo lo que hubiese querido. Su madre sólo le había permitido llevarse un par de libros y el cuaderno de dibujo con los lápices de colores.

—Tía Evelyn te propondrá hacer un montón de cosas —le dijo.

Beth estaba preocupada porque no soportaba la idea de tener que arrancar malas hierbas del jardín y echar una mano en la cocina. Cada vez que visitaba a tía Evelyn tenía que ayudarla a cocinar, a hacer conservas y a cuidar del jardín, pero hasta ahora jamás la habían obligado a permanecer en su casa dos semanas completas.

Eran las vacaciones de verano, y Beth hubiera preferido ir todos los días a nadar a la piscina, o jugar con los amigos del vecindario, hasta que llegara el momento de irse de campamento, hacia finales de julio. Suspiró, y mientras seguía observando, enrolló en su dedo un mechón de sus cabellos rizados de un color castaño dorado. Cada vez estaba más asustada, sus ojos marrón oscuro reflejaban aburrimiento, y no dejaba de pensar en las cosas divertidas que no haría.

El crujido de las ruedas de un coche en el camino anunció la llegada de su tía, y Beth volvió a la realidad. Tía Evelyn conducía una vieja y fea furgoneta de color verde lima en la que Beth odiaba viajar. Resultaba muy molesto que todo el mundo las observara de reojo desde los otros vehículos. ¿Por qué la furgoneta no podía ser como las de todo el mundo, de color marrón o tostado? Beth conocía la respuesta: su tía no era como las demás personas, y eso explicaba que su furgoneta tampoco fuese como las demás.

A medida que se hacía mayor, Beth sentía cierto temor hacia su tía y por las cosas extrañas que la rodeaban. Pero durante los últimos tiempos, el temor se había transformado en enojo. Tía Evelyn siempre observaba a Beth durante las comidas familiares, la seguía a todas partes, la interrogaba sobre la escuela, los amigos, los libros y sus dibujos. Pero la madre de Beth aseguraba que tía Evelyn se sentía sola y por eso quería pasar

el mayor tiempo posible con su sobrina favorita.

La señora Parish abrió la puerta principal e hizo señas a Beth para que fuese en busca de su maleta. Tía Evelyn abrazó a su hermana y se volvió hacia la niña:

—¿Estás preparada, cielo? ¿Lo tienes todo?

—Eso creo —respondió Beth resoplando.

Beth pasó frente a su tía arrastrando la maleta y la observó de reojo; estaba más rara de lo habitual. Pero esa rareza, no tenía nada que ver con su ropa o sus zapatos. Tía Evelyn siempre iba vestida con ropa ancha de colores indefinidos, calcetines chillones y zapatillas deportivas de tonalidades extrañas. Ese día, las deportivas eran rojas, el vestido azul turquesa tenía flecos en las mangas y los calcetines eran de color amarillo canario. Sobre los hombros llevaba un chal de rayas naranja.

Beth pensó que irían directamente a casa de su tía, sin detenerse durante el trayecto. Lo cierto es que no le apetecía nada que la viesen acompañada de una persona que iba ataviada con semejante indumentaria. Contempló a su tía mientras se abrochaba el cinturón de seguridad, segura de que esta vez había algo diferente. Tía Evelyn parecía nerviosa.

Tía Evelyn vivía a tan sólo cinco millas de su casa, en el otro extremo de la ciudad. Pero invertía mucho tiempo en un trayecto tan breve, porque le encantaba conducir por carreteras secundarias y caminos poco frecuentados. Así pues, en lugar de tomar el camino más corto —recto por la calle Court y cruzando la Plaza Mayor—, giró a la izquierda en McNeil, a la derecha en Washington, a la izquierda en la colina Pleasant y luego cruzó cuatro *stops* antes de girar a la derecha en Wallace.

Beth se acurrucó en el asiento para evitar las miradas de los transeúntes que se volvían a mirar la furgoneta verde lima. Tía Evelyn observó a su sobrina por el rabillo del ojo y sonrió.

—No es bonita, pero funciona bien.

Beth enrojeció y se sintió culpable de que su tía le leyese la mente.

Al dar la vuelta a la rotonda, llegaron a un vecindario tranquilo y más antiguo. Beth no podía adivinar la razón por la cual su tía había entrado por aquella calle sin salida que las obligaría a retroceder por el mismo lugar por el que habían entrado. Pero cuando el coche disminuyó la marcha, Beth entendió la maniobra.

—Mira estas cinias, Beth —suspiró tía Evelyn cautivada ante el bello jardín de una gran casa amarilla.

A tía Evelyn le gustaban mucho las flores. Beth tuvo que admitir que eran muy bonitas. Tras recorrer toda la calle y contemplar unos cuantos jardines espectaculares, a Beth se le ocurrió que sacaría los lápices de colores para intentar plasmar algunas de las flores sobre el papel. Pero tía Evelyn tenía otros planes para pasar la tarde.

Finalmente, tras dar seis vueltas más, llegaron al número dieciséis de la callejuela de las Cerezas. La casa de tía Evelyn era tan llamativa como su indumentaria y su coche. El contorno de la casa estaba pintado del color azul

del huevo del petirrojo, con adornos de mandarina. Las contraventanas eran de amarillo canario y hacían juego con la cerca de madera puntiaguda que rodeaba el jardín de la parte delantera. La puerta principal era de color rojo manzana y el columpio del porche, verde césped. Beth no había visto nunca tantos colores mezclados y tan dispares. Estaba segura de que su tía compraba la pintura en las rebajas, o utilizaba la que le sobraba a sus amigos, sin importarle si los colores pegaban o quedaban bien.

Beth carreteó su maleta por las escaleras del porche hasta el cuarto de los invitados. En la habitación reinaba la misma mezcla de colores que en el resto de la casa, aunque Beth la encontraba muy cómoda. El cubrecama de color azul oscuro estaba lleno de bultos, pero era blando y las sábanas de color rosa pálido siempre olían a suavizante. Completaban el mobiliario, una cómoda vieja de nogal liso, una mecedora de roble y una lámpara de pie antigua de cobre. Encima de la cómoda había un cuenco con bellotas.

Beth sonrió al ver los nuevos cojines de la mecedora: uno era de cuadros verdes y el otro rojo, rematado con un cordoncito púrpura oscuro. En ese instante, se le ocurrió que quizá su tía era daltónica. Había oído hablar del daltonismo en la televisión y podía ser una explicación lógica a los gustos extraños de su tía.

Tras guardar su ropa en la cómoda y el armario, Beth bajó a la planta baja. Su tía estaba en la cocina y la recibió con una gran sonrisa.

—¿Has deshecho el equipaje, cielo? Siéntate y charlaremos un rato —tía Evelyn señaló la mesa redonda con cuatro sillas cerca de la ventana de la cocina.

Beth se subió a una de las altas sillas de madera, la más cercana. Era lisa y fresca y le llegaba el aire agradable del ventilador del techo. Tía Evelyn buscó algo en el frigorífico.

—¡Ah, los refrescos! Están en el fondo.

Beth parecía contenta y sorprendida. En sus últimas vacaciones, su tía se había dado cuenta de que le gustaban los refrescos. Era un cambio agradable desde el verano anterior cuando la tía Evelyn la perseguía todos los días con té y galletas. Más nerviosa que nunca, tía Evelyn se sentó junto a Beth, abrió dos botes de refresco y los colocó encima de dos salvamanteles.

—Creo que prefiero el té —comentó tía Evelyn después de tomar unos sorbos, mirar por el rabillo del ojo y chasquear con la lengua.

Observó a su sobrina a través de sus gafas con montura de caparazón de tortuga, y Beth le devolvió una mirada incómoda. Casi se cae del susto cuando tía Evelyn exclamó:

—¡Está bien! Pregunta lo que quieras. Seguro que se te ocurren un millón de preguntas.

Beth la miró fijamente, intentando pensar qué se suponía que tenía que preguntar. Se le ocurrieron unas cuantas preguntas del estilo ¿Cómo se llaman las flores nuevas de color rosa de las escaleras de la entrada?, ¿Dónde están los cojines que antes había en la mecedora de arriba?, ¿Te importa si esta tarde dejo los colores y el papel de dibujo en la mesa del salón?.

No formuló ninguna de estas preguntas porque de repente su tía recordó algo:

—De acuerdo, todavía no te he dicho nada. Lo he ensayado muchas veces, de forma que es como si ya te lo hubiese contado.

Un poco asustada, Beth se echó hacia atrás para dejar mayor distancia entre su tía y ella. Tía Evelyn estaba inclinada hacia la niña, muy entusiasmada por algo. Sus ojos castaño oscuro, que ahora brillaban con reflejos naranja y negros, asustaban un poco. Beth jamás había visto estos reflejos en los ojos de su tía. Al darse cuenta de que la niña se encogía, la mujer se echó un poco hacia atrás, aparentemente más relajada. Ambas suspiraron profundamente, mirándose fijamente. En la cocina se hizo un silencio total.

Beth notó un cosquilleo, como si estuviese a punto de pasar algo importante. Tía Evelyn no le quitaba el ojo de encima. Beth decidió tomar otro sorbo de refresco, y entonces su tía afirmó tranquilamente:

—Eres un hada caléndula.

Capítulo dos

El hada Caléndula

Fue entonces cuando se miraron fijamente, tía Evelyn a la expectativa y Beth pensando: *¡Esta mujer está loca! ¡No es posible que mis padres me dejen con ella dos semanas enteras!*

Tía Evelyn, convencida de que no la había entendido, volvió a hablar:

—Vayamos por partes —hizo una pausa, y con un tono de voz más bajo, repitió—: Eres… un… hada.

Puso énfasis en cada una de las palabras que pronunció, pero esta vez omitió caléndula.

¡Pero esto no cambiaba nada! Beth empezó a sentir miedo. ¿Qué hacía una niña de nueve

años al lado de una mujer loca? Le daba igual que su tía supiera que encontraba el coche horroroso o que le gustaban los refrescos. Todo esto daba lo mismo ahora que sabía que su tía era lunática. La cabeza le iba a mil por hora y pensó que lo mejor sería seguirle el juego hasta que saliera de la cocina, y entonces podría llamar a su casa. Sí, parecía la mejor estrategia, pero era más fácil pensarlo que hacerlo, ya que tía Evelyn no se despegaba de ella.

—Te ha impactado, cielo —dijo acercándole un plato—. Toma una galleta.

—Mmm… mmm… yo… —fue lo único que fue capaz de articular Beth, que solía ser muy habladora.

Su tía la miró sonriente y se levantó de la mesa para prepararse una taza de té.

—Quería decírtelo antes, pero eras demasiado pequeña —explicó—. Yo también soy un hada, un hada mariposa monarca. Te lo mostraré para que me creas.

Beth parecía aturdida. Sostenía una galleta en cada mano, pero no mordió ninguna.

—Te parezco excéntrica —murmuró tía Evelyn—, pero pronto lo comprobarás.

Cuando el té estuvo preparado, Beth se percató de que su tía se dirigía a la sala de estar. De repente, pensó que era una bobada llamar a sus padres. En realidad, tía Evelyn no parecía peligrosa, solamente un poco chiflada. Como no sabía cómo actuar, dejó las galletas, bajó de la silla y siguió a su tía hasta la sala de estar, con el refresco y el salvamanteles en la mano.

Minutos después, sentada en el sofá y bebiendo el refresco, la voz de su tía distrajo a Beth de sus profundos pensamientos:

—¿Lista para una demostración?

No sabía qué decir y asintió levemente con la cabeza.

La transformación de tía Evelyn en hada fue muy rápida, tras una leve detonación. En realidad, Beth pensó que había desaparecido.

—Estoy aquí, cielo —exclamó una vocecita.

Beth observó con atención la butaca en la que había estado sentada su tía y vio una diminuta figura de pie al lado del cojín verde.

La niña se inclinó hacia delante para observar a su tía con atención. Seguía siendo su tía Evelyn, mucho más bella de lo que jamás hubiera imaginado. Tenía el mismo pelo de color castaño oscuro, corto y ondulado, pero ahora llevaba una pequeña corona de flores doradas sobre la cabeza. Unas delicadas alas de mariposa, naranja y negras, sobresalían de su espalda. Su vestido de hada era de gasa, le llegaba hasta los tobillos y era de suaves tonalidades naranja, marrón, dorado y negro. Llevaba un cinturón beige y unas zapatillas del mismo color.

Beth quedó hipnotizada cuando su tía comenzó a volar, dio dos vueltas por la habitación y regresó a la butaca. Otra leve detonación y tía Evelyn volvió a su forma humana y se tomó la taza de té.

—Antes de que te conviertas en hada, debemos hablar —dijo—. La razón por la cual me ves en mi forma de hada es porque sabes que soy un hada, y porque tú también lo eres. Cuando las personas normales me miran, ven una mariposa monarca. Antes de saber que eras hada, también me habías visto en forma de mariposa. Había tomado el té en vuestro jardín con tus muñecas y tus amigos. Seguramente no lo recuerdas porque eras muy pequeña. Por eso siempre creí que te gustaba el té. Hace mucho que fui niña y había olvidado que estas meriendas no significan que te guste el té.

Sonrió y habló de nuevo:

—Debes tomar precauciones para que las personas normales no lo descubran. Te verán como una flor de caléndula. Las caléndulas no suelen florecer en invierno y por ello debes disminuir tu actividad de hada durante esa época del año. Y en especial, debes tener cuidado a la hora de volar porque sería muy raro ver volando a una caléndula, a menos que hiciese viento. Creo que por ahora será mejor que realices tus vuelos exteriores por la noche y los días de niebla. Practicaremos en el interior de la casa.

—Yo también debo ser precavida cuando vuelo por los alrededores. El verano pasado, la anciana señora Hannigan, que vive dos puertas más allá, casi me cazó. La buena mujer escribe un diario sobre mariposas y quería alcanzarme gritando que durante el mes de julio no era habitual ver mariposas monarca por esta zona. Me costó evitar que me alcanzase. Por supuesto, cada vez que salgo tomo otro camino.

Beth escuchaba las palabras de su tía con atención, pero seguía un poco trastornada y le costaba creerla. Tía Evelyn pareció darse cuenta porque afirmó:

—Me creerás cuando te transformes en hada.

—¿Sigo siendo humana? —preguntó Beth, convencida de que había llegado el momento de decir algo.

A tía Evelyn la pregunta le pareció tan divertida que no pudo evitar una carcajada.

—¡Claro, cielo! —respondió—. Eres humana, pero también tienes el espíritu de un hada, una flor de caléndula. Y tienes un don especial relacionado con ese espíritu mágico, pero eso lo descubrirás a su debido tiempo.

¿Estás preparada para transformarte en hada?

Beth asintió y su tía comenzó a darle instrucciones:

—Muévete un poco hacia la izquierda, cielo. La medida estándar de un hada es de quince centímetros y no quiero perderte entre los cojines del sofá. Las hadas pueden ser de diferentes medidas, pero eso significa un aprendizaje y no siempre es seguro. ¿Qué pensarían las personas normales si viesen una mariposa de un metro o una flor de metro y medio? No, no, dejaremos para más adelante lo más complicado.

Beth se apartó un poco mientras su tía hablaba:

—Ya eres un hada, así pues esta parte será más fácil. La primera vez, cierra los ojos porque todo va muy rápido y no quiero que te marees. Imagina que te ves en forma de hada.

Beth hizo lo que su tía le decía e imaginó que era una diminuta flor de caléndula con alas. Un momento después, oyó una detonación leve.

Beth pensó que algo iba mal, porque su tía exclamó:

—¡Madre mía, lo había olvidado!

Cuando Beth abrió los ojos estaba sentada en el sofá con una tía Evelyn gigantesca que le sonreía.

—Todo va bien, cielo. Estás perfecta —dijo—. He olvidado el espejo. No intentes volar todavía.

Tía Evelyn salió a toda prisa de la sala de estar y segundos más tarde regresó con un es-

pejo enorme que depositó en uno de los brazos del sofá.

Beth se levantó y se acercó al espejo para echar un primer vistazo a su nuevo aspecto de hada. Llevaba una corona de flores de caléndulas diminutas y amarillas y tenía unas alas de plumas de color dorado pálido, más pequeñas que las alas de tía Evelyn. Su vestido de hada le llegaba por encima de las rodillas y parecía hecho con pétalos de caléndula arrugados de color amarillo y dorado que formaban una especie de volante. Llevaba el mismo cinturón y zapatillas de color beige que su tía. La corona de flores contrastaba con los rizos castaños dorados de su cabeza y los pétalos de su tenue vestido brillaban como el sol. Beth, que nunca se había preocupado por su aspecto, tuvo que admitir que era un hada muy bella.

Tía Evelyn aterrizó a su lado con un leve zumbido, la tomó de la mano y le dijo:

—Es hora de volar. Pon a prueba tus alas.

Beth se miró la espalda e intentó mover las alas hasta que empezaron a aletear muy deprisa, en olas susurrantes que le acariciaban las orejas, y se elevó unos centímetros del sofá, acompañada de su tía. Entonces se concentró en disminuir la velocidad de las alas y aterrizó en el sofá dando un ligero salto.

—¡Muy bien! —exclamó tía Evelyn—. Ahora intentaremos volar por la sala.

Se elevaron tomadas de la mano y dieron tres vueltas por la habitación.

—Imagina un aterrizaje suave —dijo tía Evelyn y flotaron, aterrizando suavemente encima del sofá. Beth, excitada y orgullosa, sonreía mientras su tía la abrazaba fuertemente.

Capítulo tres

Cosas de hadas

ras practicar el vuelo durante unos quince minutos, se sentaron a descansar sobre un cojín de color rosa.

—Ahora debemos ocuparnos de la varita —dijo tía Evelyn—. La he guardado para ti. Te va a gustar. Sólo tendrás que llamarla. A algunas hadas les gusta llevar sus bastones mágicos dentro del cinturón. A ti no te hará falta porque acudirá cada vez que la llames, sólo debes extender la mano y llamarla.

Con cierta desconfianza, Beth extendió la mano y la llamó:

—Aquí, ¿varita?

De inmediato, se vio sujetando una rama

de sauce muy bonita. Los suaves extremos que tía Evelyn dijo que florecían brillaban con un color dorado claro que contrastaban con la rama de color marrón oscuro. Cuando Beth acarició con delicadeza uno de los suaves capullos, la varita se estremeció y roncó.

—Es un tallo de sauce. Pensé que te gustaría. Hay muchos tipos de varitas mágicas —aclaró tía Evelyn—. La mía es una semilla de diente de león.

Mientras hablaba, la brillante varita de semilla de diente de león apareció en su mano.

—Por cierto, la puedes llamar y la puedes hacer desaparecer sin pronunciar palabra, sólo con pensarlo. Forma parte de la magia.

Beth pensó que quería que su varita desapareciera, y tuvo la agradable sorpresa de que así fue. Entonces decidió que quería tenerla de nuevo en la mano, y rió satisfecha al comprobar que susurraba suavemente en su mano.

—Cielo, no debes hacer trucos con la varita —advirtió tía Evelyn—. Primero tenemos que hablar sobre tu manual de hada.

Beth no tuvo oportunidad de preguntar qué era un manual de hada. Quedó petrificada cuando *Maximiliano*, el gato naranja de tía Evelyn, irrumpió en la sala y las observó fijamente con sus ojos amarillos. Tía Evelyn sonrió tranquilizadora.

—Tranquila, Bethy —dijo—, no te hará daño. A la mayoría de los animales les gustan las hadas. De hecho, cuando tienes forma de hada puedes hablar con los animales. Inténtalo, dile algo.

—Mmm… Hola, *Maxi* —empezó a decir Beth tras aclararse la garganta.

El gato parpadeó sin perderla de vista.

—Bueno, no va a responder —aclaró tía Evelyn—. Los animales no pueden hablar a menos que estén embrujados, pero se comunican de otra forma. Pídele algo.

—Mmm… *Maxi*, ¿puedes traerme el trapo que hay junto al fregadero de la cocina?

Maximiliano desapareció de la sala y enseguida regresó con el trapo.

Beth se quedó boquiabierta.

—Gracias —añadió sonriendo cuando *Maximiliano* frotó suavemente su cabeza sobre su espalda.

El gato parecía muy consciente de que sólo medía quince centímetros e iba con mucho cuidado. Ronroneó igual que lo hacía la varita, incluso más fuerte, luego cruzó la sala y saltó encima de una cómoda butaca lila, encogiéndose como una bola y preparándose para dormir.

—¿Dónde habíamos quedado? —preguntó tía Evelyn—. ¡Ah, sí! El manual.

De la nada, apareció un pequeño libro. Era del mismo color beige que sus zapatillas, muy suave, y tenía letras doradas. Beth leyó en letras brillantes, *Primer Manual del Hada.* Luego su tía le mostró un segundo libro.

—Éste es el mío —añadió.

Beth le echó un vistazo y leyó *Manual Formidable del Hada.*

—Sí, ahora soy formidable —explicó sonriente tía Evelyn ante la mirada interrogante de Beth—. ¿Sabes? El libro envejece contigo. Ahora está repleto de información y respuestas comprensibles para una niña de nueve años. Cuando seas un poco mayor, cambiará y pasará a llamarse *Manual del Hada Feliz.* Por alguna razón, las hadas de diez y doce años son muy descuidadas y tienen tendencia a sufrir accidentes y meterse en líos. El *Manual del Hada Feliz* te ayudará a salir de los líos y los embrollos cuando sea necesario. Sé superdiligente y cuidadosa con la información durante esa etapa.

—Las explicaciones e instrucciones del libro serán más complicadas y detalladas a medida que crezcas y necesites más información. Hace poco, he leído veintidós páginas sobre un tema que, cuando tenía tu edad, se explicaba con una única frase. Ese es uno de los motivos por el cual tú tampoco podrías leer mi libro —añadió tía Evelyn astutamente, ofreciéndole el libro.

Beth se sorprendió al descubrir que, al pasar el libro a sus manos, la palabra *Formidable* se transformaba en *Primer*.

—Por razones de seguridad —dijo su tía, consolándola, con un tono de voz severo—, hay cosas que no debes saber y probar hasta que crezcas.

Tía Evelyn explicó que los futuros manuales incluían *Fantástica* para adolescentes y jóvenes adultas; *Formidable* para las edades en las que las hadas podían ocuparse de buena parte de asuntos por sí solas, sin cometer errores; *Final*, para las hadas más capaces y de mayor edad, que no necesitaban consejos, pero leían el manual por razones sentimentales o por falta de memoria.

—¡Ya hace veinticinco años que soy *Formidable*! —exclamó con orgullo tía Evelyn—. Éstas son las categorías principales, a no ser que cometas algún error garrafal, entonces aparece la palabra *Horrible*.

—Mi amiga, Patsy Wingate, me contó que su libro se llamó *Manual del Hada Honrada* durante un mes entero, cuando tenía trece años.

Sucedió que, durante una temporada en la que se dedicaba a hacer trampas en los exámenes de lenguaje en la escuela, empezó a recibir una serie de mensajes inesperados del manual. Y cada vez que quería hacer una consulta le aparecían mensajes sobre jugar limpio, integridad, no tomar el camino más fácil o acerca de la importancia de la educación. En el mismo instante en que dejó de hacer trampas, el manual recobró el nombre de *Fantástico*. Un manual también puede titularse *Bobalicón*, si un hada se vuelve descuidada o boba. Y tiene muchos más nombres, pero estos son los más habituales.

Tía Evelyn decidió que ya era suficiente por aquel día:

—Esta tarde puedes hacer lo que te apetezca mientras yo me ocupo de unos asuntos. Después de cenar, te contaré qué vamos a hacer mañana.

Tía Evelyn fue a poner una lavadora y Beth se entretuvo buscando información en su manual. Estaba ordenado alfabéticamente, como un diccionario. Lo primero que buscó fue la palabra *hada* y leyó el artículo del manual.

Hada

Espíritu delicioso y mágico
que ama las flores, los insectos
y otras criaturas diminutas.
Las hadas solucionan problemas,
ayudan, arreglan cosas
y protegen la naturaleza...

Hada: Espíritu delicioso y mágico que ama las flores, les insectos y otras criaturas diminutas. Las hadas solucionan problemas, ayudan, arreglan cosas y protegen la naturaleza. Tienen buena comunicación con los duendes y con otras muchas criaturas vivientes.

Beth repitió en voz alta las palabras «espíritu delicioso y mágico» sonriendo ante aquella maravillosa descripción de su yo de hada recién descubierto. Luego buscó la palabra *gnomo*.

Gnomo: Espíritu de la tierra que hace crecer las flores, las plantas, los árboles, los cristales y los minerales. Añade colores a la naturaleza y trabaja con las hadas para asegurar la protección de los tesoros de la tierra. Los gnomos tienen la habilidad de disfrazarse mientras trabajan para no ser descubiertos. Para los humanos normales, un gnomo puede ser confundido con el tronco de un árbol, una regadora o una piña.

Cuando recordó lo que tía Evelyn le había dicho sobre el tamaño de las hadas, buscó la palabra tamaño y cuál no fue su sorpresa al ver que el manual hacía referencia a ella.

Beth (Caléndula): El tamaño estándar de un hada es de quince centímetros. No estás preparada para adoptar otro. A pesar de esto, aquí tienes una pista para el futuro: para ser más alta necesitas un pedacito de espárrago. Para ser más pequeña, un poco de rábano.

Beth rió y pensando que quizá tenía que recibir otro consejo, buscó información sobre su varita.

Beth (Caléndula): Tu varita es un capullo o quizá una rama de sauce encantada para ayudarte a hacer magia. Ronroneará cuando esté contenta o arañará cuando se enfade. Todavía no estás preparada para hacer trucos con la varita. A pesar de ello, consulta luz mágica.

Beth siguió las recomendaciones del manual.

> *Luz Mágica:* La luz mágica es un murmullo de luz que sienten tus ojos. El extremo de tu varita brillará. Es una herramienta útil para las hadas. Para producir esta luz, debes murmurar las palabras luz mágica.

Tras susurrar luz mágica, el extremo de su varita se iluminó suavemente. Beth sonrió satisfecha por el descubrimiento de su primer truco con la varita.

Pasó el resto de la tarde buscando información y hallando respuestas a sus preguntas. Tras una deliciosa cena de pizza de pepperoni y ensalada, tía Evelyn dijo:

—Mañana iremos a un Círculo Mágico. Conocerás otras hadas y descubrirás qué sucede en el reino de las hadas. Esta noche no quiero más preguntas. Creo que por hoy ya tienes suficiente.

Después de mirar la televisión durante una

hora, Beth subió medio dormida a su habitación. Antes de meterse en la cama, consultó un artículo más del manual.

Círculo Mágico: Un encuentro de hadas que se celebra por razones sociales o para discutir problemas. Para evitar interpretaciones erróneas, debes saber que los Círculos Mágicos no tienen porqué ser circulares. Las hadas pueden encontrarse en cualquier forma o formación, incluidos cuadrados, triángulos, líneas rectas, grupos desordenados, grupos esparcidos, pirámides, nubes flotando en el aire, etc. Algunas de las razones que obligan a celebrar un Círculo Mágico incluyen desastres naturales, acontecimientos importantes, problemas graves o celebraciones mágicas.

Beth no tardó en dormirse y soñó que conocía a otras hadas.

Capítulo cuatro

El Círculo Mágico

ras desayunar, se marcharon en la furgoneta verde lima que ahora a Beth le parecía muy divertida. El color ya no le molestaba, e incluso saludó a alguien que miraba, en lugar de esconderse avergonzada. Se dirigía hacia un Círculo Mágico para encontrarse con otras hadas, y se sentía muy feliz.

Por alguna razón, tía Evelyn parecía pensativa y apática. Pasaron veinte minutos, hasta que finalmente dijo:

—Beth, en ocasiones debemos reunirnos para discutir sobre cosas desagradables.

—Lo sé —respondió Beth animada—. Las

hadas deben tener este tipo de encuentros para hablar sobre problemas y resolverlos. Las hadas solucionan problemas, lo leí en mi manual.

—Esta es una buena actitud —contestó tía Evelyn—. Demuestra que empiezas a entender la responsabilidad que conlleva ser hada.

—Los espíritus mágicos han sido creados por la Madre Naturaleza —explicó tía Evelyn mientras conducía—: Es la guardiana de todo lo que es mágico.

—¿Podré conocer a la Madre Naturaleza? —preguntó Beth.

—¡Oh, no! —exclamó tía Evelyn—. No, no, no. Hay muy pocas hadas que la hayan conocido. Anda muy atareada, es muy poderosa y a veces peligrosa. No podemos correr el riesgo de encontrarla en forma de rayo o de tornado, en lugar de una forma más segura como puede ser la niebla, el eco o la llovizna. Las hadas somos una pequeña parte de un conjunto mucho mayor. Debemos conformarnos con hacer nuestro trabajo como parte de este plan, sin necesidad de entenderlo por completo —Beth permanecía sentada, escuchando, sin preguntar nada.

Tomaron una carretera comarcal muy arenosa, estrecha y llena de curvas. Los árboles se volvían más frondosos, de forma que las ramas arañaban, a veces, los laterales del vehículo. Pronto se dirigieron hacia un claro en el que había unos cuantos coches de colores estrambóticos.

—Hay hadas que llegan volando —explicó tía Evelyn a Beth—, pero para nosotras sería demasiado esfuerzo, porque aún no has volado demasiado.

En silencio, siguieron un camino en dirección al claro.

Beth pensó que se adentrarían en el bosque, pero se detuvieron cerca de un sauce llorón alto, situado en el extremo más alejado del claro. Centenares de zarcillos largos y repletos de hojas barrían el suelo y la brisa que soplaba encima de ellos sonaba como una suave música ventosa.

—Hemos llegado —dijo tía Evelyn—. ¿Sabes por qué estamos debajo de un sauce llorón? —Beth negó con la cabeza, y tía Evelyn continuó—: Porque los sauces inspiran comunicación e ideas creativas, y hoy debemos discutir un problema muy importante.

—Nos reunimos bajo los robles —explicó tía Evelyn—, cuando buscamos sabiduría para hacer planes importantes de cara al futuro.

Los robles son muy sabios y están cargados de visión. Por otro lado, buscamos robles jóvenes, de un centenar de años o menos, porque los más viejos no se desprenden con facilidad de su sabiduría. Están tan repletos de conocimientos y misterios que prefieren guardárselos para ellos. Si aceptan compartir su sabiduría, normalmente nos la transmiten en forma de adivinanzas complejas y difíciles de acertar. Por eso, lo más usual es que la información no llegue a tiempo de ser utilizada.

Y para concluir con el tema de los árboles, tía Evelyn terminó diciendo:

—A veces también nos reunimos bajo los manzanos, cuando necesitamos el consejo de los unicornios, que sienten atracción por ellos y nos brindan su valioso consejo. Poseen una mente clara y limpia, imparcial y generosa, sin dobleces ni prejuicios para enmascarar los problemas. —Y mientras Beth reflexionaba, dijo—: Vamos, ha llegado el momento de conocer a otras hadas.

Tomaron forma de hadas y caminaron hacia las ramas del sauce. Los rayos de sol per-

dieron fuerza a medida que se acercaban al tronco. Beth se quedó paralizada al ver a tantas hadas. Su tía se quedó cerca del grupo principal para dar tiempo a su hipnotizada sobrina a recuperarse de la impresión.

Una veintena de hadas asistían al Círculo Mágico, algunas de las cuales adoptaban forma de flor. Beth, con los ojos llenos de admiración, pudo reconocer a muchas de aquellas flores, incluidas una rosa de color melocotón, una cinia roja, una azucena blanca y una bonita hada cardencha púrpura pálido con el pelo rubio, liso y largo, y las alas de color gris pálido.

Vio un hada mariposa amarilla, cuyas alas no eran tan grandes e impresionantes como las de tía Evelyn, pero era tan luminosa que le parecía tener el sol ante sí. Había muchas hadas mariposa e insectos. Un hada mayor, en forma de escarabajo volador, se afanaba alineando piedras y ramas para que pudieran sentarse en pequeños grupos.

Beth descubrió una pequeña hada libélula roja a la que no podía dejar de mirar. La Libélula era una niña negra, delgada y atlética con el pelo muy corto, peinado en pequeñas ondas. Su vestido y las alas eran de un rojo oscuro y se movía con tanta gracia y fuerza que llamaba la atención e inspiraba confianza. Beth pensó que quizá era una modelo o una atleta profesional.

Dejó de observarla al ser sorprendida por un rayo de luz. Al mirar a su alrededor, Beth vio un hada brillante de color marrón dorado. El hada Luciérnaga sonrió a Beth y le guiñó el ojo mientras se acercaba.

—Beth, te presento a Lenox Hart, o Luciérnaga —empezó las presentaciones tía Evelyn al darse cuenta de que un grupo de hadas comenzaban a acercarse.

Se dieron las manos y Beth sintió un calor casi tan agradable como la visión resplandeciente de su nueva amiga. Después saludó a Cardencha, cuyo nombre era Grace Matthews. Tenía unos ojos grises enormes que hacían juego con el color gris claro de sus alas, y su pelo rubio y corto estaba erizado como los pétalos de la cardencha de su vestido y sus alas puntiagudas. Al darle la mano, le escoció un poco.

Jennifer Sommerset era el hada libélula que Beth había admirado. Dio la mano a Beth de una forma un poco vibrante y llena de cosquillas. Parecía que las tres hadas, Cardencha, Libélula y Luciérnaga, tenían su misma edad.

—Lenox es un nombre muy bonito —dijo vergonzosa Beth a Lucerna.

—Me llamo como la porcelana de mi madre —explicó Luciérnaga—. Mi madre dice que cuando nací era muy blanca, pero tenía una especie de brillo, por eso me puso el nombre de sus platos.

Tía Evelyn se alejó con el pretexto de que regresaría enseguida, pues tenía que hablar con alguien. Beth permaneció muy ilusionada con sus nuevas amigas, y conoció a otras hadas que se le iban acercando.

Algunas eran mayores que ellas y se reunían con las de su misma edad. A Beth le daba igual porque se sentía muy bien con Cardencha, Libélula y Luciérnaga, las cuales sentían un gran interés por la varita de Beth.

—No hay nadie que tenga una varita de sauce que ronque —explicó Luciérnaga.

Se la pasaron de unas manos a otras, acariciándola y sonriendo cada vez que la varita ronroneaba.

La varita de Cardencha era una púa de puerco espín.

—Tuve un trozo de trenza de caballo…, de la cola, claro —dijo—, pero tenía demasiado poder para mí…, demasiada magia de caballo. Casi me rompe el brazo. Por eso pedí permiso para cambiarla. Ésta va mejor con mi personalidad —añadió contenta, zarandeando en el aire su púa puntiaguda.

Libélula tenía una varita de pluma de pavo real y la de Luciérnaga era una sencilla pajita dorada. Sus varitas parecían compaginar a la perfección con el carácter de cada hada.

Beth se dio cuenta de que las otras niñas la llamaban unas veces Caléndula y otras, Beth. De momento, ella prefería llamarlas por su nombre de hadas porque, al conocer a tantas hadas a la vez, temía hacerse un lío.

Tía Evelyn hablaba con el hada Escarabajo.

—Madame Escarabajo es mi vecina, la señora Pelter —explicó Luciérnaga—. Es mi tutora, como tu tía —señaló un hada crisantemo amarillo que era la abuela y tutora de Libélula y siguió—: Cada hada joven tiene una tutora.

Pero no todas las tutoras son hadas. La tutora de Cardencha es aquel petirrojo. La señora Petirrojo es muy anciana y sabia y puede hablar. Esto significa que en algún momento la embrujaron; es algo extraño.

A Beth le pareció que madame Petirrojo las observaba enojada, como si supiera que hablaban de ella. Y lo comprobó cuando Luciérnaga se dio cuenta de que el pájaro estaba atento.

—Oh, los petirrojos tienen el oído muy fino —añadió roja como un tomate.

Madame Petirrojo, con un suave aleteo, dio media vuelta y miró hacia otra parte.

Tía Evelyn se reunió de nuevo con el pequeño gru-

po de hadas cargada de refrescos. Comieron un montón de galletas de hojaldre y bebieron dulce de néctar de rocío procedente de auténticos capullos de madreselva. También tomaron frambuesas y dulces caseros.

Un hada cubierta de hojas con pequeñas flores azules esparcidas por su vestido verde, se detuvo junto a las jóvenes hadas para darse a conocer:

—Soy Tradescantia —dijo y, tras una breve pausa, añadió con voz cansada, como si la fatigaran las explicaciones—: Es una hierba. Romero también anda por aquí. También luce flores azules. Somos las únicas hadas de hierba —Romero las saludó desde el otro extremo al darse cuenta de que Tradescantia la señalaba.

Mientras comían, tía Evelyn entregó a Beth una pequeña bolsa llena de polvo brillante de duende.

—Átala en el cinturón —explicó—. Utilizamos el polvo de duende para hacer magia —luego se sentó junto a Beth y dijo—: Antes de que comience la reunión, quiero hablarte de tu don especial como hada caléndula.

Luciérnaga, Cardencha y Libélula se sentaron en silencio y escucharon a tía Evelyn:

—Cada hada posee un don relacionado con su espíritu mágico. Por ejemplo, el espíritu de libélula de Jennifer es rápido y ágil. La coordinación y la velocidad la ayudan mucho.

—Especialmente cuando juego a fútbol —matizó Libélula riendo.

—Una ventaja poco justa en las competiciones con las amigas —respondió Cardencha.

—¡Vaya! ¿Insinúas que nunca usas tus dones para favorecerte, Cardencha? —preguntó Libélula.

Cardencha no respondió y tía Evelyn continuó:

—Grace tiene dos dones. Una cardencha es una flor salvaje muy bonita. Su belleza puede atraer o distraer, según convenga. Pero también puede repeler aquello que no desea con sus púas. Tiene una ferocidad salvaje que la protege de los ataques.

—El espíritu de Luciérnaga, de Lenox, tiene más luz que el de cualquier otra hada. Es muy útil en lugares oscuros y la ayuda a guiarse. Es muy difícil que se pierda, porque su luz la guía y también la defiende para que no la desorienten los espíritus malvados.

Tía Evelyn miró fijamente a Beth, antes de seguir hablando:

—¿Adivinas cuál es tu don?

Beth no podía imaginar qué tenía de especial una flor de caléndula, y negó con la cabeza.

—¿Por qué tu madre planta caléndulas en el huerto? —preguntó tía Evelyn.

Beth pensó unos segundos. Luego, al darse cuenta de que lo había entendido, sonrió y explicó a las demás hadas:

—Mi madre planta caléndulas en el huerto para evitar que los insectos se coman las hortalizas. Las flores de caléndula son repelentes naturales de los insectos, como una especie de melisa.

Tía Evelyn prosiguió:

—Así pues, además de conocer el motivo por el cual no te han molestado nunca los mosquitos u otros insectos como al resto de nosotras, has descubierto tu don, tan útil y poderoso. Tienes la habilidad de ahuyentar a los insectos. Te será muy útil cuando debas enfrentarte a una araña poco amistosa, a un saltamontes o a una avispa. No todos los insectos son amistosos como las mariposas, las luciérnagas o las libélulas.

—Pero no utilices tus habilidades sin ton ni son. Las hadas más jóvenes no pueden usar sus dones o su magia sin la supervisión de un hada tutora. Es difícil desarrollar la sabiduría y la madurez necesarias para que entendáis cómo hay que emplear los poderes de forma adecuada. No debemos desaprovechar nuestros poderes. Nos los han otorgado para unos propósitos específicos, para proteger la naturaleza y solucionar problemas. Con estos poderes adquirimos responsabilidad, de forma que no nos está permitido usar la magia para solucionar los problemas de la vida cotidiana ni para maltratar a los demás.

Después de esta lección, Beth había tenido tiempo de reflexionar sobre un montón de cosas. Permaneció sentada, en silencio, mientras Cardencha y Libélula empezaban a balancearse en las ramas del sauce.

Capítulo cinco

La Pluma
de la Esperanza

Súbitamente llegaron las hadas restantes, y se acercaron al centro de la reunión. Por primera vez, Beth se dio cuenta de que había alguien que parecía liderar el grupo, un hada anciana que era, sin lugar a dudas, un sapo, ya que al lado de todas las flores llenas de color y de los delicados insectos, un hada sapo parecía fuera de lugar.

Un poco arrugada por la edad, madame Sapo era del verde marrón del barro, con unas pequeñas alas verde oscuro sobre su abultado lomo. Cuando hablaba, nadie cuestionaba su autoridad. Tenía una voz rica, potente y muy firme que atraía la atención de inmediato.

—¡Bienvenidas! ¡Bienvenidas! Agrupaos y poneos cómodas. Hoy tenemos un tema muy importante que discutir. Antes de nada, debemos dar la bienvenida al círculo a Caléndula. Por favor, haced que se sienta como en casa y, si aún no os conoce, presentaos más tarde.

Beth se acercó al grupo con su tía y otras hadas. Algunas permanecían de pie y otras se sentaban en los asientos que había preparado madame Escarabajo. Beth se sentó en una piedra lisa con su tía, mientras sus nuevas amigas estaban sentadas a su alrededor en pequeñas ramas y setas.

Antes de continuar hablando, madame Sapo esperó que todo el mundo se hubiese instalado:

—Creo que necesitamos un poco más de luz.

Sacó su varita, que era un capullo de rosa de pitiminí y la utilizó para encender un fuego en un montón de ramas y hojas que tenía frente a ella. Luciérnaga se levantó y, al tiempo que guiñaba un ojo a sus amigas, aumentó el doble su resplandor. En el otro lado del grupo, una delicada hada tulipán colocó su larga varita de cristal encima de una seta enorme para que resplandeciera como una luz suave. Algunas hadas más susurraron *luz mágica*, para que sus varitas iluminasen.

Libélula arrugaba la nariz y parecía enojada por el fuego encendido por madame Sapo. Pero antes de que Beth tuviera tiempo de imaginar la razón por la que Libélula estaba enfadada, madame Sapo inició su discurso:

—Hoy nos acompaña un conferenciante, el duende Cristóbal.

Después de esta presentación, surgió un pequeño duende de las sombras que había detrás de madame Sapo. Tenía el pelo liso y oscuro, e iba vestido con harapos de color marrón. Una cáscara de bellota hacía la función de sombrero y su expresión era la de alguien que deseaba estar en cualquier otra parte que

no fuera un Círculo Mágico. Echando un vistazo a su alrededor con cara de pocos amigos, tocó una pequeña bolsa de piel que llevaba en el cinturón, arrastrando los pies y golpeando una rama.

Primero, el grupo permaneció en silencio, pero pronto se escucharon murmullos, seguidos de conversaciones en susurros.

—¿Qué sucede? —preguntó Beth.

—Consulta *duende* en tu manual —dijo suavemente tía Evelyn.

Duende: Diminuto personaje mágico, travieso, que suele medir unos dieciocho centímetros y no puede volar. El espíritu de los duendes acostumbra a proceder de las bellotas, las piñas, los guijarros, el musgo, el trébol o las setas. Les gusta vivir con las personas y acostumbran a ser serviciales. Aunque si no se les recompensa de forma adecuada con galletas y leche, pueden causar desastres. Les encanta hacer bromas a las hadas. Irónicamente, los duendes son los guar-

dianes de la Pluma de la Esperanza, con la que llenan y distribuyen esperanza por la tierra. Para llevar a buen puerto su tarea de esparcir esperanza, viajan con la ayuda de los pájaros y los animales. ¡Los duendes jamás están invitados a un Círculo Mágico!

Beth mostró a su tía la última línea del manual, pero no preguntó nada porque tía Evelyn movió la cabeza y se llevó un dedo a los labios en señal de silencio.

Madame Sapo esperó a que todo el mundo estuviera en el más absoluto silencio, y de nuevo volvió a ser el punto de atención:

—Ha sucedido algo terrible, y los duendes necesitan nuestra ayuda —y señaló al duende Cristóbal.

El duende dio un paso hacia delante, se aclaró la garganta y propinó una patada a una piedra. Parecía un poco mayor que Beth, debía tener unos doce o trece años. A Beth le pareció bastante avispado, a pesar de ser travieso. Cuando lo escuchó hablar, le pareció que su voz era más profunda de lo que hubiese imaginado:

—Los duendes ya no tenemos la Pluma de la Esperanza.

Aguardó a que las exclamaciones de las hadas terminasen y luego continuó:

—Hace tres días, el vigilante de la Pluma, el duende Mateo, cometió un terrible error. La descuidó durante un rato mientras hacía una travesura. Al regresar, la pluma ya no estaba—. Cristóbal hizo una pausa para que digirieran la información que acababa de dar y prosiguió—: Mateo se siente muy mal. Lo han relevado para siempre como vigilante de la pluma y también le han prohibido hacer travesuras durante un año entero. Pero es muy importante que encontremos la pluma rápidamente. La esperanza empieza a escasear.

Cristóbal arrastró de nuevo los pies y se metió las manos en los bolsillos:

—Se llevó la pluma un hombre llamado Forrester. La utiliza como punto de libro. El señor Forrester colecciona hojas, bellotas y plumas, por eso entendemos la razón que le llevó a llevarse la pluma. En situaciones normales, la recuperación de la pluma no supondría ningún problema para un duende. El señor Forrester trabaja en el turno de noche y la misión sería segura y silenciosa. Sin embargo, el señor Forrester es un hombre muy infeliz. Su casa está habitada por gremlins.

De nuevo, se oyeron exclamaciones y murmullos, y Cristóbal permaneció en silencio. Beth aprovechó para consultar la palabra *gremlin* en su manual.

Gremlin: Horrible espíritu de la tierra, invisible para los humanos normales. Los gremlins buscan personas infelices y se instalan en sus casas, garajes, cobertizos de jardín y despachos. Su único objetivo consiste en estropear máquinas, enchufes y otros objetos mecánicos. Son muy mezquinos. Tienen los dientes afilados y garras, son rápidos y pueden herir a las hadas. Ten cuidado.

Beth oyó que muchas hadas se quejaban:

—¡No podemos confiar en los duendes! ¡Irresponsables! ¡Es terrible! ¿Por qué se les dio el encargo de vigilar la pluma?

El alboroto iba en aumento, y madame Sapo tomó las riendas de la situación:

—¡Calma! ¡Haced el favor de tranquilizaros!

Inmediatamente se hizo el silencio.

—Discutamos el tema de una forma razonable —dijo madame Sapo—. Los gremlins son muy peligrosos para las hadas y los duendes. Pero hay tres cosas que los gremlins temen: el acero inoxidable, las aspiradoras y los perros salchicha. Haced el favor de dividiros en pequeños grupos para aportar ideas que nos lleven a la solución de este problema.

Beth y tía Evelyn se reunieron con Cardencha, Libélula, Luciérnaga y sus respectivas tutoras.

—¿Por qué el señor Forrester no se ha desembarazado de los gremlins con la aspiradora? —preguntó de repente Cardencha.

—Porque no los ve —respondió Libélu-

la—. Los gremlins son invisibles para las personas normales. Además, lo más probable es que a estas alturas su aspiradora esté estropeada —y tras un momento de reflexión, añadió—: Hay muchas personas que no tienen acero inoxidable en sus casas. Quizá no se lo pueden permitir o no saben que es una buena inversión. El señor Forrester no debe tener demasiado acero inoxidable en su casa, porque, si no, los gremlins ya se habrían ido.

—Me parece que sabes muchas cosas acerca del acero inoxidable, Jennifer —observó Luciérnaga.

—Es que mi madre es dentista, por eso le gusta. Qué mala suerte que el señor Forrester no tenga.

—Quizá lo persigue la mala suerte… —explicó Cardencha.

—La suerte es problema de cada uno —interrumpió bruscamente Libélula.

—Entonces, sólo quedan los perros salchicha —añadió con un suspiro Luciérnaga.

Segundos después, todos los ojos se fijaron en Beth que acababa de exclamar:

—¡Oh!

Estaba roja como un pimiento y, mientras miraba el rostro sonriente y complaciente de tía Evelyn, suspiró profundamente y exclamó:

—¡*Cacahuete*!

—No es momento de comer nada, Caléndula —advirtió Cardencha impaciente.

—No, no. Me refiero a mi perro, *Cacahuete*. Es un perro salchicha —explicó Beth.

Cacahuete

Recordaba perfectamente la última vez que lo había visto, sentado en su almohada amarilla junto a la cama, jugando con su juguete preferido, una especie de salchicha que chirriaba. Lo estuvo acariciando, antes de bajar su maleta por las escaleras para esperar a tía Evelyn.

—Estoy convencida de que nos ayudará —añadió Beth.

En pocos minutos, trazaron un plan. Beth y tía Evelyn se acercaron a madame Sapo, que de cerca impresionaba aún más. Beth se dio cuenta de que llevaba una diminuta corona de rosas de pitiminí que hacían juego con su varita y el faldellín verde pálido de su vestido brillaba con gotas húmedas. Beth vio su propia imagen dorada reflejada en los gigantescos ojos negros de madame Sapo. Madame Petirrojo se acercó a escuchar la conversación.

Cristóbal escuchaba atentamente el plan. Fue entonces cuando Beth se percató de que no era el único duende que asistía al Círculo Mágico. De pie, tras madame Sapo, había un par de duendes más, y también un búho, una ardilla y un cuervo.

Los demás duendes vestían ropa marrón, parecida a la de Cristóbal. Uno de ellos era rubio y sobre su cabeza llevaba una gorra verde de musgo, y una cáscara de caracol colgada en la espalda con un cordel. El otro tenía el pelo castaño y enmarañado metido dentro de un gorro que parecía una seta. Estaban camuflados entre el tronco del árbol y las sombras. Beth los descubrió cuando se movieron, arrastrando los pies y metiendo las manos en los bolsillos.

Madame Sapo se aclaró la garganta, y tras un canto de atención se dirigió a las hadas:

—Creo que disponemos de un buen plan. Caléndula tiene un perro salchicha llamado *Cacahuete* que nos ayudará. Ella y madame Monarca irán a su encuentro y mañana por la noche se encontrarán con los duendes en casa del señor Forrester. Madame Petirrojo, Luciérnaga, Libélula y Cardencha también ayudarán.

—Con esta combinación de poderes mágicos, la misión será un éxito. A no ser que alguien tenga un plan mejor, daremos por terminado nuestro encuentro y aguardaremos las noticias del rescate de la pluma.

Hizo una pausa con objeto de posibilitar que alguien pudiera hacer una nueva aportación o dar más ideas, pero todo el mundo permaneció en silencio. La mayoría de hadas sonreían admiradas a Beth y a tía Evelyn, evidentemente impresionadas, y algunas parecían aliviadas por no tener que enfrentarse a los gremlins.

Cristóbal se acercó a Beth y simplemente dijo:

—Nos veremos mañana por la noche, a las nueve.

Tras saludar a madame Sapo con un gesto de la cabeza, se volvió y saltó sobre el búho. Sus compañeros saltaron a lomos de la ardilla y el cuervo, y en unos segundos, desaparecieron.

Madame Sapo sonrió entre dientes y anunció:

—Es la primera vez que los duendes no gastan ninguna broma a las hadas. Jamás lo hubiera imaginado.

Algunas hadas ya se habían preparado para marcharse. Libélula se acercó a madame Sapo:

—Tengo una queja —dijo enojada señalando el fuego—. ¿Por qué no has traído un escudo de fuego? De haberlo sabido, hubiera traído el mío. No abulta más que una moneda. Has marcado el suelo y esta piedra para siempre.

Beth la observó con atención. El fuego no medía más de dos centímetros y medio, y la piedra a la que se refería Libélula era un canto pequeño que tenía un lado chamuscado.

Madame Sapo golpeó suavemente su varita y apagó el fuego. Entonces con un movimiento de la punta de su varita, el suelo negro se convirtió de nuevo en marrón y la zona quemada de la piedra blanqueó. Sólo quedaba una diminuta señal gris.

Libélula golpeó el suelo con los pies.

—Poco importa que podamos arreglarlo. Si no tenemos cuidado, nos someteremos a la apatía y al descuido. ¿Qué ejemplo vamos a dar? Creía que nuestro lema era «Deja sólo pisadas».

Madame Sapo observó a Libélula sosegadamente, y luego afirmó:

—Estás en lo cierto, cariño. La próxima vez, haz el favor de traer tu escudo de fuego.

Luego, madame Sapo dio media vuelta para hablar con un hada rosa amarilla y Libélula se dirigió donde esperaban Cardencha y Luciérnaga.

—¡Caramba! Es perfecta —murmuró Beth con admiración cuando Libélula pasó junto a ella.

—No, no lo es —añadió rápidamente tía Evelyn observando a Beth con el ceño fruncido—. Si te refieres a que es esbelta, capaz, inteligente, fuerte, que tiene criterio, es bonita y una líder nata, tienes razón, casi es perfecta. Pero también es impulsiva y juzga a los demás a la ligera. Debe aprender a controlarse.

Se acercaron a su grupo para terminar los planes de la misión.

Capítulo seis

El rescate
de la Pluma

l día siguiente, tras una larga char-
la sobre hadas, duendes y gremlins,
Beth y tía Evelyn fueron en busca
de *Cacahuete*. Circulaban por carreteras secundarias y caminos poco frecuentados,
con lo cual podían continuar su charla.

—¿Es cierto que los besos de las hadas ha-
cen aparecer pecas?

—No —rió divertida tía Evelyn al oír semejante pregunta—. Pero ten por seguro que
cuantas más pecas tenga un hada, más poderosa es.

Los ojos de tía Evelyn brillaban, y Beth no
sabía si hablaba en serio.

—No olvides nuestro plan —advirtió tía Evelyn cuando se acercaban a casa de Beth—. Distraeré a tu madre y diré que hemos venido a recoger tus patines. No olvides que mientras hables con *Cacahuete* debes tener apariencia de hada, o de lo contrario no te entenderá. Sólo cuando adquieres la forma de hada, tu voz tiene la intensidad y el tono adecuados para hablar con los animales. Y no olvides llevarte los patines.

Beth dio un rápido abrazo a su madre y corrió escaleras arriba.

—¡Oh, sí! Encontré unos patines nuevos rebajados, y Beth ha prometido que me enseñará a patinar —oyó que decía tía Evelyn.

Tras unas breves palabras con *Cacahuete*, Beth salió por la puerta de atrás con los patines y el perro a cuestas. Corrió hacia la furgoneta de su tía, y dejó al perro y los patines en el asiento trasero del vehículo.

—Quédate tumbado hasta que nos marchemos —advirtió a *Cacahuete*.

El perro movió la cabeza, jadeó y agitó la cola con mucha energía. Poco después, tía

Evelyn subió al coche y reanudaron la marcha.

El resto de la tarde, estuvieron explicando a *Cacahuete* el plan del rescate de la pluma. Luego cenaron, sin quitar ojo a *Maximiliano* y a *Cacahuete* que golpeaban una pelota de tenis en la sala de estar.

Pasadas las ocho, salieron de casa para encontrarse con las otras hadas y repasar el plan antes de que llegaran los duendes. El señor Forrester vivía en el bulevar Bloomsbury, y la furgoneta verde lima de tía Evelyn aparcó delante de su verja en el mismo instante en que se ponía el sol. Cardencha, Libélula, Luciérnaga y madame Petirrojo llegaron unos minutos más tarde. Tía Evelyn y Beth tomaron forma de hadas y siguieron a *Cacahuete* hasta la puerta trasera. El perro se sentó tranquilamente cerca de las escaleras, mientras las hadas trepaban al alféizar de una ventana.

Cuando observaron el interior de la casa, descubrieron a tres de los gremlins del señor Forrester.

Beth se quedó perpleja —y asustada—, cuan-

do vio por primera vez a los gremlins. Había
dos en el sofá y otro permanecía de pie en la
mesa de la lámpara manipulando el cable eléc-
trico. Los dos del sofá jugaban con sus pulgares
torcidos. Uno de ellos susurraba al otro su de-
seo de que aquella misma noche el señor Forrester regresara a casa con un nuevo aparato
para poder estropearlo.

Los gremlins medían unos treinta centímetros y eran de un tono gris verdoso, más bien

oscuro, con mechones de pelo gruesos que sobresalían de sus largas orejas puntiagudas. Eran unas criaturas feas, llenas de bultos, con las manos y los pies llenos de protuberancias, garras largas, dientes afilados y amarillentos, y ojos saltones. Beth pensó que era una bendición que las personas normales no pudieran verlos porque de lo contrario, quedarían aterrorizadas.

Beth estaba muy asustada. Miró preocupada a *Cacahuete* que no perdía detalle con sus ojos marrones brillantes. Su piel de color canela, lucía bajo la luz de la luna, y sus orejas temblaban un poco a causa de la brisa de la noche.

Tía Evelyn parecía leer los pensamientos de Beth, y le susurró:

—Tranquila, Beth, *Cacahuete* sabe cómo tratar a un gremlin.

Cacahuete agitó la cola como si las hubiese oído, y fue a sentarse frente a la puerta donde permaneció quieto y atento, como si se preparara.

Cuando los duendes llegaron, Cristóbal presentó a sus dos compañeros que habían asistido al Círculo Mágico. El rubio que llevaba una gorra de musgo se llamaba Joel. Y el del pelo enmarañado con el gorro de seta, era Alan.

Tras unas presentaciones torpes que hicieron enrojecer a las hadas y arrastrar los pies a los duendes, tía Evelyn explicó las normas de seguridad:

—Los gremlins pueden saltar hasta más de un metro. Por eso debéis manteneros muy arriba para estar fuera de su alcance. Los duendes no entrarán hasta que *Cacahuete* haya sacado a todos los gremlins. Cristóbal y Alan han estudiado la casa y han detectado a seis gremlins permanentes. Madame Petirrojo permanecerá aquí vigilando y nos avisará cuando todos estén fuera. Conservad vuestra apariencia de hadas, yo me transformaré el tiempo suficiente para mantener la puerta abierta —permaneció en silencio unos instantes, antes de preguntar—: ¿Estáis listos?

Tía Evelyn flotó hasta el pomo de la puerta trasera y agitó ligeramente su varita de semilla de diente de león. Apareció un rayo brillante de luz verde y la puerta se abrió con un fuerte chasquido. Se transformó el tiempo necesario para apuntalar la puerta con un ladrillo.

Sin que nadie se lo ordenase, *Cacahuete* cruzó la puerta y corrió por la moqueta. Ignoró a los gremlins del salón y se dirigió hacia el interior de la casa. Empezó por la habitación más alejada, y fue avanzando. Los tres gremlins lo observaban entre horrorizados y sorprendidos.

Luciérnaga iluminó el camino y las hadas entraron flotando dentro de la casa. Caléndula y Cardencha se vieron obligadas a elevarse hasta el techo para evitar el ataque del gremlin que estaba encima de la mesa de la lámpara. Libélula pasó zumbando alrededor de su cabeza para distraerlo.

Los otros dos gremlins empezaron a luchar desde encima del respaldo del sofá, saltando tan alto como les era posible para cazar a las hadas.

Cardencha intentó pinchar la espalda de uno de ellos con su púa de puerco espín, mientras la varita de semilla de diente de león de tía

Evelyn mandaba chispas voladoras anaranjadas para quemar las narices de los gremlins. Beth intentaba no ser un estorbo para nadie y flotaba al lado de Luciérnaga, atareada brillando como nunca para iluminar la habitación.

Los gremlins estaban terriblemente enojados. Sus dientes afilados rechinaban y no dejaban de saltar tan alto como podían para cazar a las hadas. Los pelos de sus orejas parecían electrizados y no dejaban de gritar:

«¡Malditas hadas!»

Minutos más tarde, hizo su aparición *Cacahuete*, jadeando y gruñendo. Se las ingenió para hacer salir a los otros tres gremlins hacia el salón. Cuando los seis gremlins estuvieron reunidos, por un momento se sintieron fuertes, ya que comenzaron a reír y a dar saltos como locos, gruñendo a las hadas y a *Cacahuete*. Sin embargo, el perro no se dejó amedrentar y los rodeó, conduciéndolos hacia la puerta trasera.

Un gremlin especialmente perverso comenzó a lanzar objetos a las hadas. Libélula esquivó un libro y voló directamente hacia él. Aterrizó sobre su cabeza y le propinó un tremendo golpe en la oreja izquierda, un golpe que recordaba una de sus mejores jugadas con el balón. El gremlin aulló de dolor, pero no pudo atrapar al hada ya que ella huyó rápidamente con una oscilación.

La voz de tía Evelyn retronó mientras pinchaba a otro gremlin con su varita.

—¡Largo! ¡Fuera, os digo! ¡Este perro no es ningún cobarde! ¡Y si es necesario, os pincharé durante toda la noche!

Los gremlins gruñían y hacían castañetear los dientes, pero *Cacahuete* siguió ladrando y rodeándolos hasta que, al final, los seis gremlins se dieron por vencidos y, atropellándose unos a otros, salieron por la puerta trasera. Tía Evelyn los siguió y esperó hasta que la voz aguda y cantarina de madame Petirrojo anunció desde su puesto de vigilancia, en la verja trasera:

—¡Vía libre!

Las hadas aterrizaron alrededor de *Cacahuete*, abrazándolo y acariciándolo mientras movía la cola feliz. Permaneció sentado y orgulloso observando a las hadas que terminaban su trabajo. Tía Evelyn regresó acompañada de los duendes. Alan, Joel y Cristóbal comenzaron a subirse a la alta librería del señor Forrester. Cuando llegaron al tercer estante, tiraron de uno de los libros. Las hadas se acercaron porque nunca habían visto la Pluma de la Esperanza.

El libro en cuestión era el diario del señor Forrester. Alan lo abrió por la página marcada por la pluma, que era una simple pluma blanca, de unos siete centímetros, sin marcas ni adornos. A pesar de que no impresionaba lo más mínimo, no había duda de su gran poder. Casi de inmediato, la habitación se llenó de un agradable flujo de sentimientos, como si las Navidades y la Pascua de celebrasen al mismo tiempo. Tenían pensamientos deliciosos de bebés sonrientes, tesoros hallados y galletas recién horneadas. La esperanza y la felicidad se extendieron entre el grupo, e incluso los duendes sonreían.

Después de leer la última entrada del diario, en la página marcada por la pluma, Luciérnaga leyó en voz alta:

Vida. En nuestra búsqueda de sentido, debemos tener en cuenta dos cosas importantes: cómo tratamos a los demás y qué enseñamos a los niños.

Durante unos segundos, todo el mundo permaneció en silencio. Entonces, Cardencha observó al grupo con la mirada y con un tono de voz solemne murmuró con suavidad:

—Puede que el señor Forrester sea infeliz, pero es brillante.

Los duendes depositaron una pluma de martín pescador en el diario para reemplazar la Pluma de la Esperanza. Luego dieron las gracias a todas las hadas y se fueron.

Fuera los esperaban un zorro, una águila y una ardilla. Alan, nuevo guardián de la pluma, montó a lomos del águila y se elevó de inmediato para empezar a repartir esperanza. Cristóbal y Joel partieron unos minutos más tarde, agradeciendo de nuevo su ayuda a las hadas y saludándolas con la mano, mientras se alejaban montados en el zorro y la ardilla. Madame Petirrojo también se marchó, despidiéndose con una leve agitación de las alas.

Las hadas entraron de nuevo en casa del señor Forrester. Beth observaba con admiración a Cardencha y Libélula que se apresuraban a reparar los objetos mientras Luciérnaga las iluminaba. Beth también las ayudó satisfecha cuando descubrió que era capaz de componer los objetos haciendo brillar polvo de duende y diciendo: «¡*Repárate!*» a medida que golpeaba su varita.

Durante treinta minutos volaron de un lado a otro de la casa buscando hilos eléctricos rotos y aparatos mecánicos estropeados. Luego regresaron a la puerta y contaron todo lo que habían hecho a tía Evelyn.

—Hemos reparado la tostadora, el hervidor de agua, el sacapuntas, el secador de pelo, el televisor, la aspiradora, el ordenador,

la cafetera, el despertador y un par de lámparas —dijo Cardencha resoplando—. Pero no sabemos qué le ocurre al microondas. Quizá el señor Forrester tenga que comprar otro.

Cuando tía Evelyn cerró la puerta trasera, Libélula sacó un anuncio del periódico y lo metió en una ranura del pomo de la puerta.

—En la perrera tienen cachorros de perro salchicha en adopción —explicó—. A lo mejor el señor Forrester tiene suerte.

Las niñas se acomodaron en la furgoneta satisfechas por el resultado de su misión. Tía Evelyn las acompañó a sus casas ya que era demasiado tarde para que unas hadas tan jóvenes volaran solas.

Capítulo siete

La recompensa de Cacahuete

ban a llegar tarde. Eran más de las once cuando tía Evelyn devolvió a *Cacahuete* a su casa. Correteó contento por el césped hasta la puerta principal y saludó con la cabeza al señor Tibbons, el gnomo que se presentaba cada noche de los jueves en su recorrido por los jardines para evaluar el crecimiento de las flores y las hortalizas de la señora Parish. Ayudaba a cuidar del jardín y le añadía color cuando era necesario.

Por supuesto, la única vez que la señora Parish había visto al señor Tibbons fue bajo la apariencia de una berenjena. En cambio, *Ca-*

SR. TIBBONS
El gnomo del jardín

cahuete podía reconocerlo en forma de gnomo. El señor Tibbons apartó el pico, sonrió a *Cacahuete* y lo saludó con su mano sucia.

Cacahuete arañó suavemente la puerta principal sin saber si el señor o la señora Parish estarían despiertos a esas horas para abrirle la puerta. Si no, no tendría otra opción que dormir en las escaleras.

La señora Parish, que estaba levantada y muy apenada, le preguntó:

—¿Dónde estabas? ¡A saber qué estarías haciendo! Estaba muy preocupada. Has tenido suerte que los de la perrera no te hayan cazado. ¿Qué has hecho tantas horas fuera? ¡Sube! ¡Hoy no cenarás! —concluyó la señora Parish, acalorada y sin aliento, señalando las escaleras.

Cacahuete subió directo hacia la habitación de Beth, golpeando sus uñas sobre el parquet. Le sabía mal perderse la cena, pero se sentía satisfecho.

Había ayudado a recuperar la Pluma de la Esperanza, y, por eso, a pesar de estar agotado y hambriento, no podía estar triste.

Apenas se había instalado sobre su almohadón, y había machucado con un chirrido su salchicha de juguete para desearle buenas noches, oyó un ruido. ¡Cuál no fue su sorpresa al ver que el duende Joel abría la ventana! Le traía un bizcocho de arándanos colgando de la espalda.

—Gracias por tu ayuda —dijo a *Cacahuete* entregándole el pastel.

Joel se marchó enseguida sonriendo al desconcertado perro salchicha, que devoró con satisfacción el bizcocho en tres mordiscos y regresó a su almohadón muy alegre.

Pero parecía que aún no había llegado el momento de dormir. Dos minutos más tarde, la señora Parish se acercó a la puerta de la habitación y dejó el cuenco de comida del perro. *¡Por mi correa!*, pensó *Cacahuete* feliz. Corrió hacia el cuenco y se zampó su cena. Diez minutos después, antes de dormirse pensó que seguramente aquel había sido el mejor día de su vida. Había ayudado a las hadas a llevar a cabo una tarea importante y era la primera vez, y quizá la última, que le ofrecían unos postres antes de la comida. Tres casas más allá, la

señora Gurnsky buscaba desesperadamente el bizcocho de arándanos que había preparado antes de ir a rizarse el pelo. Tenía la certeza de que lo había dejado junto a la taza de manzanilla. ¡Menudo misterio!

En la casa que colindaba con la de la señora Gurnsky, el señor Porter no estaba preocupado por la infusión o los pasteles. Había ido a visitar a su esposa al hospital y durante unos días pensó que estaba muy enferma. Pero esa noche, alrededor de las diez, lo invadió una extraña sensación de esperanza y tuvo la certeza de que se curaría. Aquella noche podría dormir tranquilo, sin que la preocupación lo desvelara.

Capítulo ocho

Mensajes dentro de las nueces y otra aventura

Beth despertó a la mañana siguiente con una sensación de vitalidad y felicidad.

Mientras comía bacon, huevos y tostadas, conversaba alegre con tía Evelyn sobre su primera aventura mágica. Cuando terminó el desayuno, tía Evelyn propuso mirar si habían recibido algún mensaje de otras hadas.

—¿Cómo mandan los mensajes las hadas? —preguntó Beth.

—Usamos cáscaras de frutos secos que transportan los pájaros y otros animales de pequeño tamaño —explicó tía Evelyn—. Me sorprende-

ría mucho que no hubieras recibido ningún mensaje.

Subieron a la habitación de Beth y se dirigieron hacia la ventana abierta. En el alféizar había dos bellotas y una pacana que parecían simples frutos secos. Tía Evelyn los tomó y los dejó encima de la cama. Pidió a Beth que se transformase en hada. Tras dos detonaciones pequeñas, Beth y su tía permanecían sentadas sobre la colcha azul llena de bultos.

Beth miró atentamente con sus pequeños ojos de hada, y descubrió un pequeño encaje en ambos frutos. Abrió las cáscaras vacías que escondían unos diminutos pedacitos de papel con mensajes de sus nuevas amigas hadas. Una de las cáscaras también guardaba un caramelo de jalea de limón.

—A todas las hadas nos encanta la jalea de limón, ¡nos vuelve locas!

Beth leyó el primer mensaje de Luciérnaga:

Estoy muy contenta de conocerte. Gracias por tu ayuda ayer por la noche. Da las gracias a Cacahuete porque estuvo genial. Me gustaría que mis padres me permitieran tener un perro.
Hasta la próxima semana.
Lenox

Cardencha escribió:

¡Bravo, Beth! ¡Cacahuete y tú sois un buen equipo! Gracias por vuestra ayuda. Por cierto, creo que al duende Alan le gustas. Me ha preguntado por ti. Pero ya hablaremos de ello cuando nos veamos de nuevo.
Hasta la próxima.
Grace

Y, finalmente, en el mensaje de Libélula leyó:

Me gustó mucho trabajar contigo. He oído que irás al campamento Hopi la última semana de julio. Yo también iré. Podríamos intentar compartir la misma tienda.
Hasta el martes.
Jennifer

Beth estaba entusiasmada con los mensajes, aunque también se sentía un poco confundida.

—¿Qué sucede la próxima semana? —preguntó a su tía—. ¿Se celebra otro Círculo Mágico?

—Te reservaba una sorpresa —respondió tía Evelyn con una sonrisa—, pero supongo que tendré que contártelo. El martes por la noche iremos a ayudar al Hada de los Dientes. Tiene que ir al dentista y no podrá volar. La sustituiremos nosotras.

Durante los días siguientes, Beth comió un montón de caramelos de jalea de limón y mandó y recibió mensajes de nuez. Las palomas, los sinsontes, y los colibríes del jardín trasero estaban encantados de encargarse del transporte de las nueces. A medida que se propagaba la noticia de su éxito en el rescate de la pluma, Beth y su tía recibían mensajes de felicitación de otras hadas. Beth también recibió un regalo; un brazalete de la amistad, de un hada clavel llamada Wendy, a la que no conocía.

Mientras Beth escribía mensajes, un gran mirlo depositó una cáscara en el alféizar de la ventana. Cuando la abrió, la vaina de una planta gris explotó frente el rostro de Beth, llenándola de unos polvos de hollín apestoso. Dentro de la bomba fétida estaba el mensaje de Alan:

Espero volver a verte.
Gracias por tu ayuda,
Alan

Beth decidió que no debía enfadarse por la broma. Después de todo, pensó, los duendes no tienen solución. Al recordar que los pasteles les gustaban mucho, envió de nuevo la nuez con un pedazo de lionesa de chocolate en su interior. Le parecía muy buena idea mantener buenas relaciones con los duendes. En especial, después de que Cardencha le dijese que a Alan le caía bien.

El martes, una veintena de hadas se encontraron en casa del Hada de los Dientes. Beth reconoció a Cardencha, Libélula y Luciérnaga, y también a Tradescantia y Romero. Finalmente, pudo conocer a Wendy, el hada clavel y le agradeció el regalo del brazalete. También charló con otras hadas, incluyendo a Tu-

lipán, Magnolia, Vincapervinca, Azucena y Primavera.

Lo pasaron en grande trabajando por parejas con pequeñas bolsas de monedas y diminutos zurrones para recolectar los dientes. El Hada de los Dientes explicó a las hadas que únicamente debían dejar unas pocas monedas a cada niño, que serían los padres en todo caso, los que dejarían más.

Durante unas cuantas horas, las hadas volaron velozmente, entrando y saliendo de la casa para vaciar los zurrones, tomar más monedas y buscar las direcciones de los niños y las niñas que habían perdido algún diente aquel día. Tía Evelyn permaneció con el Hada de los Dientes, preparando té y llenando la bolsa de agua caliente para que le calmase el dolor, tras la visita al dentista.

Al día siguiente, Beth descubrió algo tan sorprendente como el hecho de ser hada. En realidad, tía Evelyn tenía unos patines y pasaron toda la mañana patinando de un lado a otro de la callejuela de las Cerezas, charlando sobre las hadas.

El viernes, con el permiso de tía Evelyn, Beth voló con Luciérnaga, Libélula y Cardencha. Se acercaron hasta la casa del señor Forrester, en el bulevar Bloomsbury. El señor Forrester había adoptado un cachorro de perro salchicha en la perrera. Lo llamó *Feliz* y lo adiestraba en la parte trasera del jardín. Las hadas estaban entusiasmadas y, desde el parterre de rosas, se sentaron a

mirar cómo *Feliz*, se sentaba y se tumbaba.

Un rato después, el señor Forrester y el perro se tomaron un respiro y jugaron a atrapar un calcetín doblado. Las hadas se alejaron sin perder de vista a *Feliz*, que ladraba alegremente, agitando las orejas mientras perseguía el calcetín.

Dos semanas más tarde, tras la estancia en casa de tía Evelyn, Beth se percató de que era el mejor verano que jamás había tenido. Y aún le quedaba el campamento. Al dar un último vistazo a la casa de su tía, Beth percibió que la mezcla de colores era perfecta, eran los colores de la naturaleza. Y ahora tía Evelyn le parecía muy hermosa, con su vestido rosa brillante con una ancha banda verde y el sombrero de paja azul. En realidad parecía una esbelta flor rosa con hojas que tocaba el cielo.

Antes de dejarla en casa, tía Evelyn le dio unos cuantos consejos más:

—Ahora sabes que eres un hada. Ve con cuidado con los rompecabezas porque las hadas pueden extraviarse en ellos —y tras un leve temblor en la voz, añadió—: ¡Todas aquellas líneas curvas!

Beth se despidió de tía Evelyn y entró en casa para abrazar a sus padres y a *Cacahuete*, y para buscar la palabra *rompecabezas* en su manual.

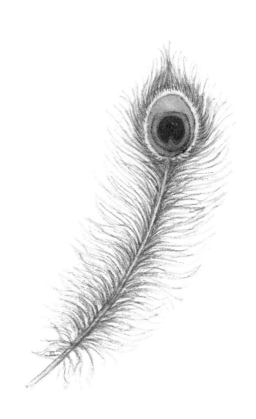

Fin

Diversiones de las hadas

Receta de galletas de azúcar

150° 15 min.

(cedida por madame Escarabajo)

2 tazas de harina
1 cucharada de café de levadura
1 taza de mantequilla blanda
1/2 taza de azúcar en polvo
2 cucharadas de café de extracto de limón
(o frambuesa, naranja, etc.)
2 cucharadas de café de agua
1 taza extra de azúcar en polvo para cubrir
las galletas cuando estén cocidas.

Mezcla la harina y la levadura. En un cuenco a parte, bate la mantequilla y el azúcar. Añade el extracto de limón y el agua. Añade la harina y mezcla bien.

Haz bolas de un par de centímetros y ponlas en una bandeja para horno sin engrasar, dejando un espacio de cuatro centímetros entre ellas. Cuécelas en el horno a 150° durante 15 min. Cuando estén calientes, cúbrelas con el azúcar en polvo. Sírvelas templadas, a temperatura ambiente o frías.

Si las prefieres de chocolate de menta: utiliza el extracto de menta y añade a la harina una cucharada de café de cacao en polvo.

Pide permiso a tus padres para cocinar y pide ayuda a un adulto cuando uses utensilios afilados y aparatos calientes.

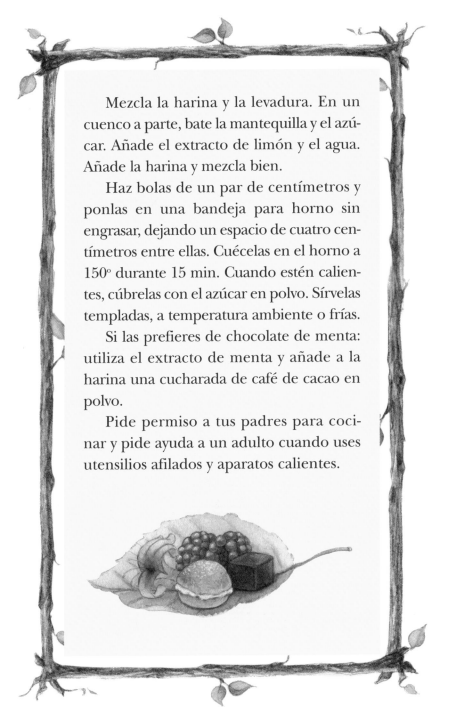

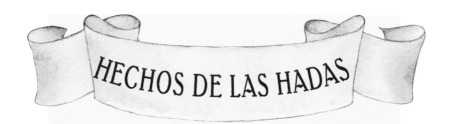

Sauces

Los tallos de sauce proceden de los sauces, unos árboles que acostumbran a crecer en Canadá, el este de Estados Unidos y en casi toda Europa. Tienen la corteza de color gris y las ramas rectas y flexibles. Pueden medir de 50 cm a 25 m de altura. Crecen en las orillas de los ríos y en lugares húmedos, porque necesitan agua, a pesar de que el sol les gusta mucho.

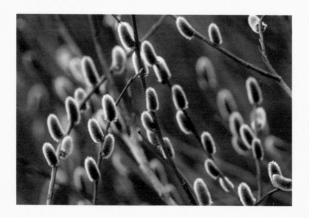

Mariposas monarca

Las mariposas monarca ponen los huevos sobre las hojas del algodon-
cillo. Cuando aparecen las
larvas, se comen las hojas.
Esta planta proporciona to-
xinas que protegen a las mariposas de sus enemigos, como los pájaros y las lagartijas.
Las mariposas monarca miden 75 mm,
sus alas son de color amarillo con la base negra y
el cuerpo amarillo con una línea dorsal negra.
Cuando las temperaturas son muy frías, no pueden sobrevivir y se ven obligadas a emigrar desde
Canadá hacia lugares cálidos del sur. Son las úni-

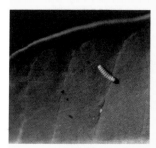

cas mariposas del mundo que emigran hasta países tan lejanos. Las colonias de monarcas del este invernan en México. Las que se encuentran al oeste de las Montañas Rocosas invernan en California. Se necesitan varias generaciones de monarcas para completar la migración y es un gran enigma el hecho de que las mismas familias de mariposas monarcas regresen a los mismos nidos de invierno todos los años.

Las hadas de Cottingley

En el año 1918, en Inglaterra, dos muchachas, Frances Griffiths y Elsie Wright, se hicieron fotografías con unas hadas que dijeron haber encontrado en los jardines de los alrededores de Cottingley. En algunas de las fotografías, pueden verse varias hadas. Recibieron el nombre de hadas de Cottingley. Por todo el país, circularon historias sobre las hadas, y montones de curiosos fueron a verlas, a pesar de que, por lo visto, no vieron ni una y ni siquiera pudieron filmarlas, con excepción de Frances y Elsie. Incluso el autor de Sherlock Holmes, Sir Arthur

Conan Doyle, estaba convencido de su existencia y escribió una historia acerca de ellas. Pasaron muchos años, y en 1982, unos setenta años después de haber tomado las fotos, las dos muchachas, ya ancianas, admitieron que las fotografías eran falsas. A pesar de ello, muchos turistas siguen visitando Cottingley. Algunos sólo pretenden visitar sus famosos jardines, pero otros albergan la secreta esperanza de que, a pesar de que las fotos eran falsas, quizá las hadas fueran reales.